BYE BYE
BABYLONE

BEYROUTH 1975-1979
بيروت

Denoël Graphic est dirigé par Jean-Luc Fromental
www. denoel.fr

© 2010 Éditions Denoël
9, rue du Cherche-midi, 75006 Paris
ISBN : 978-2-207-10930-4
B26234.1

N° Édition : 176821
Dépôt légal : octobre 2010
Achevé d'imprimer en septembre 2010
par CPI Aubin Imprimeur, France

Conception graphique :
Marie Sourd, Les Associés Réunis
www.lesassociesreunis.com

Première édition

LAMIA ZIADÉ

BYE BYE BABYLONE

BEYROUTH 1975-1979

بيروت

DENOËL
GRAPHIC

En 1975 j'avais sept ans et j'aimais les Bazookas que ma mère nous achetait, à Walid et à moi, chez Spinney's à Ramlet el-Bayda.

Spinney's, supermarket ultramoderne, ouvert à Beyrouth quelques années
plus tôt. Monument national pour le meilleur du monde occidental. Premiers
caddies au Liban, premiers escaliers roulants (ou deuxièmes, les premiers
sont peut-être ceux du Byblos, je ne sais plus). Un vrai paradis, qui partira
bientôt en fumée, comme tout le reste.

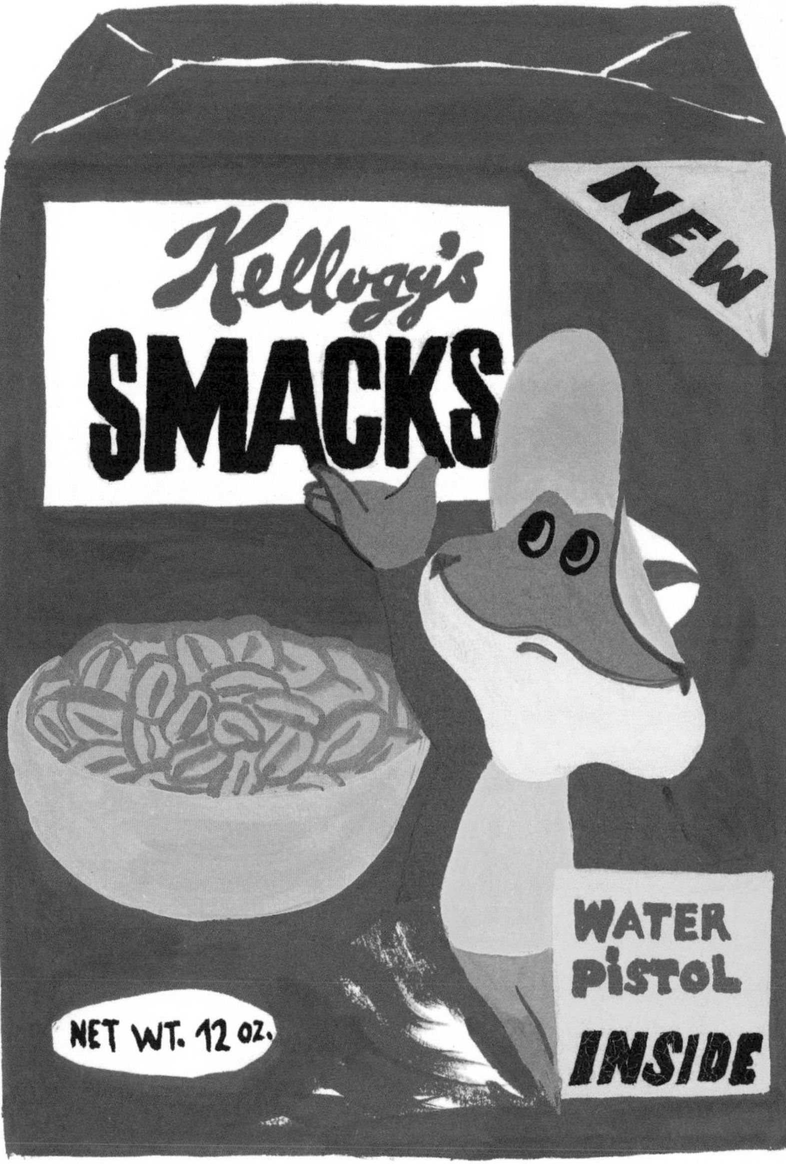
NEW
Kellogg's
SMACKS
WATER
PISTOL
INSIDE
NET WT. 12 OZ.

Tandis que pour notre plus grand bonheur les rayons et nos caddies
débordent des mêmes produits de rêve qu'à New York ou à Londres,
les réserves des milices s'emplissent d'armes et de munitions en tous genres.
En tous genres, de toutes provenances et de tous calibres.
Le Liban est une véritable poudrière, en attente d'une étincelle.

LE SLAVIA

LA KALACHNIKOV AK 47

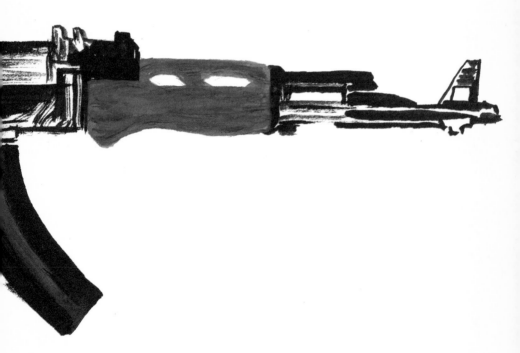

L'AK 47, le joujou que tout le monde possède. À prononcer *kalash* ou *klashing* ou *klechen*, c'est la kalach-nikov. **Le Slavia** est un dérivé de la kalach, et les premiers mois seuls les Palestiniens en possèdent. Par la suite les Kataëb les reprendront aux morts qu'ils dépouillent…

LE MAKAROV

LE TOKAREV

Le FN Herstal belge est surnommé *arbaatach* (quatorze en arabe), car il tire quatorze coups. **Le colt** est bien sûr américain et tire du calibre 12 mm. **Le Makarov et le Tokarev** (à prononcer *tobariv*) sont russes. **Le Walther** est appelé *tméné mhayar* (huit hésitant) car il tire des balles de 7,65 mm.

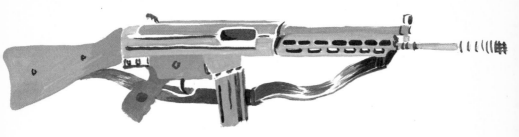

LE G3

LE FAL

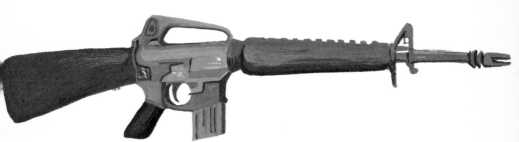

LE M16

Le FAL est belge, **le M16** américain, **le G3** (*gé-tri* en arabe) est allemand. Ils sont utilisés essentiellement par les milices chrétiennes. **Le Dragunov** (à la libanaise *drakonof*) est un fusil de sniper russe. Il sera très utilisé dans la bataille des hôtels. **Le M60**, qu'ici on appelle MAG, c'est le fusil qui tire des colliers de cartouches. Toutes ces armes tirent des balles de 7,62 mm, sauf le M16, qui tire du 5,56 mm.

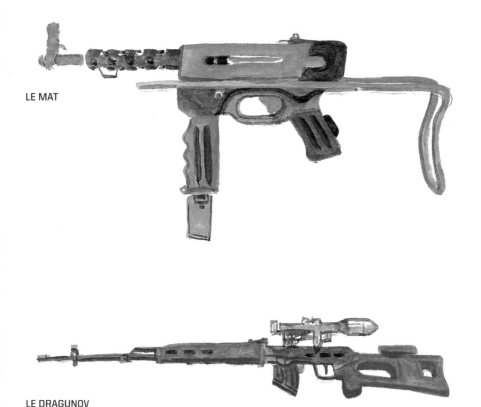

LE MAT

LE DRAGUNOV

Quelques pistolets mitrailleurs : **l'Uzi** est de fabrication israélienne, et seules les Forces libanaises (chrétiens) en ont, de même que **l'Ingram,** qui est autrichien ou anglais. **Le Mat** est français et tous les camps l'utilisent. Tous ces mitrailleurs tirent des balles de 9 mm.

Tous les camps utilisent la mitraillette lourde soviétique **MG DSchK** (Degtjarew-Schpagin-Kolesnikow) qui, montée sur jeep, deviendra la petite reine de la guerre, la fameuse Douchka (*dochka* à la libanaise). C'est un canon léger antiaérien qui sera surtout utilisé contre les personnes, voitures et camions légers. Les lance-roquettes **RPG** (prononcer RBG, le P n'existant pas en arabe) et **B7** sont aussi soviétiques. Le B7 est le dérivé du RPG mais il n'a pas de viseur. À l'origine conçus comme armes antichars, ils seront utilisés contre les personnes. **Le LAW** est d'origine américaine et ne peux être utilisé qu'une fois, le tube de lancement étant jeté après utilisation. Il fera merveille contre les voitures.

LE RPG

LE B7

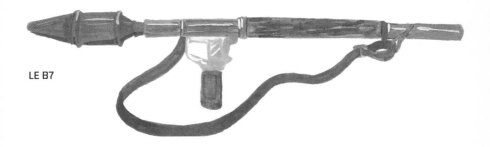

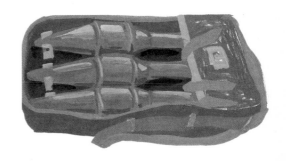

LE M48

LE BM-21

Les canons sans recul et les mortiers de 60 mm, 80 mm, 120 mm sont employés par les deux camps. Dans le camp palestino-progressiste on dispose de pièces sans recul de 82 mm et 107 mm de type soviétique, ainsi que de **roquettes Katioucha** de 140 mm et d'une portée de 9 km.

Le Fateh dispose également d'une réserve de **missiles Grad**, sorte de super-Katioucha d'une portée de 15 km, et de **BM-21**, *réjmé*, que les Allemands pendant la Seconde Guerre mondiale ont appelé les orgues de Staline. Ils seront utilisés pour détruire immeubles et quartiers. Leur formidable puissance de feu est aggravée par une précision de tir aléatoire.

Sous plusieurs variantes, **le M48** est le seul tank au Liban au début du conflit. Il changera de mains plusieurs fois au fil des années et de l'évolution de la situation. À l'origine les M48 appartiennent à l'armée, à qui les Kataëb les voleront. À leur tour, ils se les feront prendre par les Mourabitoun. Amal les récupérera après avoir massacré tous les Mourabitoun, etc.

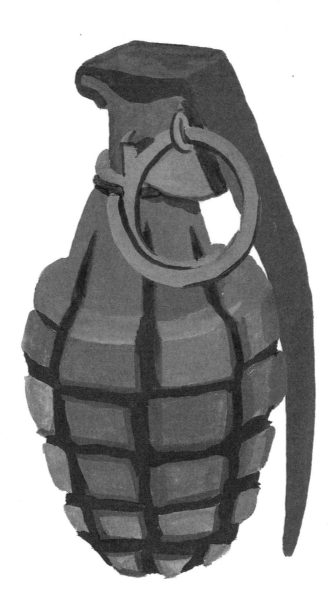

Les grenades russes ou grenades à main, utilisées par tous les camps. On les appelle *remméneh* en arabe, comme le fruit.

Armes en tous genres pour miliciens et civils de tous bords, avec cependant deux points communs : un appétit suicidaire pour la violence et une fascination pour la destruction. Pressés d'en découdre, ils n'attendent qu'une occasion.

Les milices et unités combattantes du parti **Kataëb** (phalangiste), conservateur chrétien, créé et dirigé par Pierre Gemayel, comptent environ 10 000 hommes et autant de partisans et sympathisants civils armés.
C'est le mieux structuré et le plus discipliné des partis libanais. Bachir Gemayel, le fils de Pierre Gemayel, en aura le commandement. Le *Majlis el-harbé*, près du port de Beyrouth, est leur QG.

Amal, aile militaire du Mouvement des déshérités, créé par l'imam Moussa el-Sadr, président du Conseil supérieur islamique chiite. « L'arme est la parure de l'homme » est son slogan, malgré les efforts d'apaisement, d'ouverture et de tolérance de l'imam, qui « disparaîtra » mystérieusement en 1978 lors d'un voyage en Libye.

Les forces de **la Saïqa**, organisation palestinienne d'obédience baasiste syrienne. Son chef, Zouheir Mohsen, est surnommé *al-ajami* (le Persan) à cause de la quantité de tapis que ses hommes sont accusés d'avoir volés dans les appartements de Beyrouth.

Les Mourabitoun
(Union des nassériens indé-
pendants) d'Ibrahim Koleilat,
organisation paramilitaire
« progressiste » libanaise
chapeautée par le Fateh.
3 000 combattants environ.

Les Marada, chrétiens,
partisans du président
Soleiman Frangieh,
sont principalement
de la région de Zgharta
et d'Ehden, dans le Nord.
Environ 900 combattants.

Al-Ahrar, **le PNL** (Parti national libéral),
de Camille Chamoun, conservateur
chrétien : environ 3 000 hommes,
les *Noumours*, les Tigres.

Le PNSS ex-PPS (Parti nationaliste
social syrien, ex-Parti populaire syrien),
du docteur Abdallah Saadé.
Après un passage doctrinal de l'extrême
droite à l'extrême gauche, il prône
l'unité de la Grande Syrie, l'arabisme
et la lutte contre le sionisme.
Il compte 2 500 combattants et autant
de partisans armés.

Outre les Mourabitoun, plusieurs mouvements se réclament de Nasser, pourtant mort quelques années plus tôt.

L'Organisation populaire nassérienne de Maarouf Saad, assassiné trois mois avant le début de la guerre (2 000 hommes).

L'Union socialiste arabe, forces de Nasser.

L'Union des forces du peuple travailleur, organisation nassérienne.

Le **PSP** (Parti socialiste progressiste), fondé par Kamal Joumblatt, leader druze féodal et intellectuel progressiste à la fois. Insiste sur l'arabisme du Liban et apporte son soutien inconditionnel à la résistance palestinienne depuis 1969 : 3 000 combattants environ, en majorité druzes. De par la stature politique de son chef, c'est le plus important des partis de gauche, *el'ichtirakieh.*

Avec 20 000 combattants et diverses branches, **Al-Assifa**, les unités combattantes du Fateh, sont de loin les mieux structurées et les plus armées du camp « palestino-progressiste ». Leurs officiers chapeautent une bonne partie des combattants progressistes libanais. Yasser Arafat en est le chef, ainsi que le chef de l'OLP. Les combattants palestiniens sont les *fidayins.*

Les principales organisations palestiniennes :
Le FPLP de Georges Habache (Front populaire de libération de la Palestine)
Le FDLP de Nayef Hawatmé (Front démocratique populaire pour la libération de la Palestine)
Le FPLP – CG (commandement général) d'Ahmed Gibril. Ensemble, ils alignent 3 000 à 4 000 combattants.

Mais nous voulons toujours croire que notre pays est à la fois la Suisse, le Paris, le Las Vegas, le Monaco et l'Acapulco du Moyen-Orient, et en profiter. Des terrasses de Raouché ou de Ain Mreisseh, où nous allons parfois prendre un banana split, on ne voit pas les bidonvilles chiites et les camps palestiniens. Et de toute façon, les lunettes de soleil empêchent de voir la crasse.

switzerland

MONACO

acapulco

Le 13 avril 1975, c'est l'étincelle. Le beau vernis occidental dont les Libanais étaient si fiers craque définitivement.

Ce dimanche-là, cheikh Pierre Gemayel, chef des Kataëb, assiste au *tedchine*, la consécration d'une église à Ain el-Remmaneh, avec ses hommes. Un autobus de Palestiniens du camp de Tal el-Zaatar passe à côté. C'est l'accrochage fatal.

C'est donc un dimanche et nous sommes allés déjeuner, mes parents, ma grand-mère, Walid et moi, dans un restaurant de Chemlane, dans la région de Aley. C'est un spectacle de chaos qui s'offre à nous au retour, à l'approche du quartier de Ain el-Remmaneh : pneus brûlés, hommes armés, routes barrées, crépitement d'armes automatiques, panique, cris, flammes, fumée, font de ce déjeuner à la campagne le dernier moment du temps de l'innocence. Les balançoires dans le jardin du restaurant, où nous avons joué pendant que les adultes prenaient le café, la robe à smocks en vichy rouge que je portais, le chemisier à zinnias rose et vert de ma mère, le Petzi que Walid ne voulait pas me prêter et le récit que Téta nous fit au dessert de son cousin d'Égypte ruiné par le jeu resteront, à cause de la date symbolique qu'est devenu par la suite ce 13 avril, à jamais figés dans ma mémoire. C'est comme une deuxième naissance, il y a l'avant et l'après-déjeuner à la campagne, deux vies bien distinctes. L'accrochage qui a lieu à Ain el-Remmaneh entre Kataëb et Palestiniens déclenche dans le pays un déchaînement de combats, massacres, enlèvements, destructions, pillages, assassinats, attentats… C'est parti, nous entrons dans l'euphorie dans la guerre.

Pire que ces temples du mode de vie occidental, c'est l'âme même de Beyrouth que la guerre emporte en premier. Les souks de Beyrouth, symbole de la coexistence, de la tolérance et de l'ouverture dans le Levant, seront pillés, détruits, brûlés, éliminés en quelques semaines. Les combattants des différentes milices, comme pris de folie, ne connaissent plus aucune retenue.

Après les accrochages et affrontements du printemps 1975, connus sous le nom de trois premiers « rounds » de la « crise » libanaise, et passé la trêve de l'été, où on se presse sur les plages, le déchaînement devient total.

Beyrouth pousse son dernier soupir cet automne 1975, livrée à des miliciens, Phalangistes, Palestiniens et affiliés, assoiffés de violence, mais qui arrivent parfois à s'entendre pour un cessez-le-feu de quelques heures afin de se livrer en paix au pillage. Les affrontements idéologiques sanglants sont, sans état d'âme, entrecoupés de trêves efficacement mises à profit.
Les miliciens ennemis qui se battent dans une même rue se mettent d'accord pour stopper provisoirement la bataille et mettre à sac ce qui se trouve entre leurs positions respectives. Une fois les boutiques vidées, ils reprennent leur combat là où ils l'ont interrompu.

Avant d'être totalement brûlés, les souks seront vidés de leurs marchandises, un peu par les commerçants qui tentent de sauver ce qu'ils peuvent, mais surtout par les pillards. Rideaux de fer plastiqués, façades éventrées, vitrines brisées, tous les magasins ne sont bientôt plus que des trous béants. Une partie du butin de la journée est revendue en hâte sur les trottoirs de Hamra. On peut trouver des briquets Cartier en or pour deux dollars ! Ce qui peut être utile est rapporté par les miliciens à leurs familles (Brandt, Philips, Moulinex), et ce qui sert à se parer (boas, chemises hawaiiennes, masques de carnaval) devient tenue de combat.
Côté phalangiste, la cagoule ou le masque, portés durant les combats, permettent de préserver l'anonymat des combattants civils qui travaillent dans un quartier progressiste, de peur de représailles s'ils étaient reconnus en se rendant à leur travail lors des trêves. Côté palestinien, c'est le keffieh enroulé autour du visage qui remplit la même fonction. Au bout de quelques mois, la guerre sera bel et bien installée et ces précautions ne seront plus utiles.

Cartier

la fontaine ottomane de l'entrée de Souk el-Franj à Bab Driss

C'est à Souk el-Tawilé que se trouve le magasin Ziadé Nouveautés de mon grand-père Antoun. Il y vend des tissus pour les robes de soirée et de mariée. Soieries de Lyon, broderies anglaises, dentelles de Calais, organdis, organzas, crêpes, mousselines, taffetas. Tout ce qu'il faut pour être belle au bar du Palm Beach ou du Vendôme, au Paon rouge ou au Stereoclub, tous ces lieux dont je rêve déjà et que je ne connaîtrai jamais.

Jeddo Antoun, l'homme qui aime les fleurs, les cravates en soie et les parties de pinacle, n'a plus rien. Les élégantes ne pousseront plus la porte de son magasin en disant : « Bonjour, monsieur Ziadé » ou « Mon cher Antoine, *kiffak habibi* ! »

Il se résignera à passer le reste de sa vie à arroser et soigner ses fleurs, son jasmin, ses hibiscus, ses gardénias, ses bégonias, sur la vaste véranda luxuriante de l'appartement de la rue Wadi Abou Jmil, mais au bout de quelques semaines il n'y a plus d'eau, et au bout de quelques mois il n'y a plus une plante sur la terrasse.

Il habitera encore dix ans dans ce quartier qui se retrouvera dès 1976 en zone Ouest. Téta Eva et lui, derniers chrétiens de la rue, vivant en bonne entente avec les musulmans, subiront tout ce qu'inflige notre camp aux palestino-progressistes.
Les bombardements, mais aussi le terrible blocus de Beyrouth Ouest par l'armée israélienne en 1982. Ils se résoudront à rejoindre la région chrétienne à la fin des années quatre-vingt, la mort dans l'âme une seconde fois.

Le désastre est total, et en quelques semaines il ne reste plus rien de tous ces petits paradis où j'aimais aller avec ma mère, quand nous descendions « en ville ». Nous habitions dans le quartier d'Achrafieh, à quelques rues seulement du *Borj*, la place des Martyrs (ex-place des Canons), mais pour moi aller sur le *Borj*, à Bab Driss, à Souk el-Jamil, place Riad el-Solh ou rue Allenby, c'était Babylone. Et soudain, Babylone a disparu.

Samadi, en face de *Mar Gerios*, Saint-Georges-des-Maronites, et Bohsali,
sur le *Borj*, disparus.
La Pâtisserie suisse qui avait les plus beaux palmiers de Beyrouth,
en face de Saint-Louis-des-Français, disparue.
L'agence de voyages dont je ne sais plus le nom, rue Omar Daouk,
et qui avait un avion de la Pan Am en vitrine, disparue aussi.
La boutique Kiriakos, rue Allenby, où ma mère achetait de la laine
pour nous tricoter des pulls, et des magazines Anny Blatt,
pour avoir les modèles à la dernière mode, disparue.
Le célèbre Ajami, tout près des bureaux de l'Orient, disparu. Mon père y allait
souvent discuter politique avec ses amis journalistes et m'y avait emmenée
une fois pour manger de la *mhallabieh*. Je m'en souviendrai toujours.
Le bureau de mon père, dans l'immeuble el-Kamal, sur la rue de Damas,
où il venait tout juste de s'installer comme jeune avocat, également disparu.
La librairie Antoine, rue du Patriarche Hoayek, mon étape préférée
à cause du journal de Nounours, disparue.
Et la Rose du Liban, au début de Souk el-Jamil, où Jeddo m'emmenait chaque
fois que nous venions le voir à son magasin, pour m'y offrir une fleur,
disparue aussi.
Souk Ayyas, Souk el-Franj, Souk el-Nourieh, disparus.
Brahim, le vendeur de *ghazl el-banet*, barbe à papa, de *qaak* et de Bonjus,
qui se déplaçait selon les jours dans les différents quartiers du centre
(devant la grande mosquée, *Jameh El-Omari*, le vendredi, place Riad el-Solh
le mardi…), et qu'on retrouvait le dimanche sur la corniche, disparu, disparu,
disparu.
Et les cinémas, le Roxy, le Radio City, le Dunia, le Métropole, l'Empire
et le Rivoli, qui me faisaient déjà rêver et où je ne serai jamais allée,
disparus aussi.

Bye bye ma Babylone…

l'agence de voyage de la rue Omar Daouk

العجب

le bureau de mon père, immeuble el-Kamal

وردة لبنان

La Rose du Liban

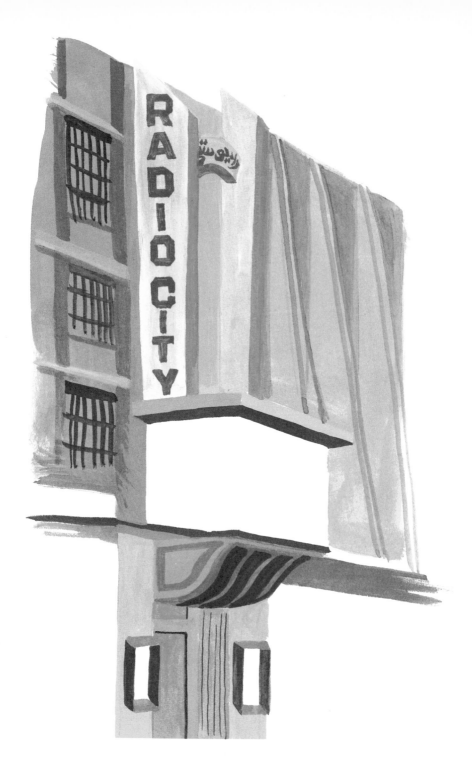

Le 8 décembre, c'est le début de la bataille des grands hôtels. Les miliciens s'installent au Saint-Georges, au Phoenicia, au Hilton, au Normandy. Et même au Holiday Inn que j'adorais, car mon oncle Ignace y était le jeune directeur du restaurant du dernier étage. C'est là qu'il y avait le meilleur hamburger du monde, en tout cas le premier que j'aie jamais mangé.

En voyant débarquer les miliciens le premier jour avec armes et munitions, le peu qui reste du personnel des hôtels roule consciencieusement les tapis de crainte qu'ils ne les salissent. À ce stade de la guerre ils ne peuvent imaginer que, trois mois plus tard, ces glorieux palaces ne seront plus que carcasses calcinées.

Mon oncle Ignace restera bloqué dans la laundry du sous-sol avec quelques autres employés, le temps que dureront les combats.

Trois mois plus tard, le 21 mars 1976, c'est la chute du Holiday Inn aux mains des palestino-progressistes, la fin de la bataille des hôtels. Ignace est évacué avec les autres par les FSI, *koua el-amn el-dakhili*, dans des véhicules blindés. En route vers Beyrouth Est, le cauchemar n'est pas fini : à la hauteur du Rivoli, il entend les balles ricocher sur la paroi du blindé, il craque. Après quelques heures de repos à l'évêché maronite de Beyrouth chez *Sayyedna*, Mgr Ziadé, son oncle l'évêque, il embarque avec un ami secouriste dans une ambulance de la Croix-Rouge libanaise qui monte vers le nord, pour sortir de Beyrouth et se réfugier à la montagne. En s'engageant sur le pont de Bourj Hammoud totalement désert, ils se font mitrailler au niveau du quartier de la Karantina. Ils s'aplatissent sur leurs sièges et traversent comme une fusée ce pont interminable sous un feu nourri, le pied du secouriste enfoncé sur l'accélérateur. « Comment fais-tu pour voir ? » lui demande mon oncle. « Mais je ne vois pas » est la réponse qu'il a obtenue et qu'on se répète encore en famille jusqu'à aujourd'hui, quand on évoque (rarement) le temps des premières peurs. Arrivé sain et sauf à Kattine, notre paisible village de famille, il y passera un mois enfermé dans la maison, volets fermés, sans même mettre le nez sur la terrasse une seule fois.

Quand enfin, à l'occasion d'une trêve, il parvient à accéder à l'aéroport de Beyrouth, il prend le premier vol pour Paris puis Nice et s'installe à Monaco, le vrai Monaco, paradis des hôteliers. Il ne reviendra plus jamais au Liban.

Pendant le récit qu'il nous fait de ces journées passées au cœur de la bataille, je ne perds pas de vue le hamburger du Holiday Inn, sans savoir vraiment comment le rattacher à tout cela : les bandes ennemies se sont livré une bataille acharnée d'un palace à l'autre, à coups de mortiers, d'obus incendiaires, de RPG et de Douchka, mais lors des trêves, les miliciens *hachachins*, archi-drogués, se vautrent dans les fauteuils en velours rouge des bars feutrés et vident les bouteilles de Dom Pérignon et de Martini, de gin et de Chivas dans des verres en cristal, en jouant quelques notes au piano, la kalach toujours à portée de main et les cadavres de leurs ennemis à leurs pieds.

C'est la guerre désinvolte. Chez nous, l'important c'est le style.

Au Liban, la violence a son folklore, et ce n'est pas un détail
dans le déroulement de la guerre, en tout cas les deux premières années,
où on s'amuse tellement : c'est devenu un rituel pour les combattants
des deux camps de traîner leur prisonnier derrière une voiture dans les rues
de la ville, jusqu'à ce que mort s'ensuive.
Tortures et mutilations sont monnaie courante.
Les Phalangistes tailladent des croix à même la peau de leurs victimes
tandis que la partie adverse perpètre des meurtres à la hache. Les deux camps
jettent les cadavres de leurs ennemis par-dessus les ponts, en ville ou sur la route
côtière, pour qu'ils puissent être vus par la population. Des dizaines de corps
abandonnés sont retrouvés, le pénis tranché enfoncé dans la bouche, les oreilles
coupées, ou les seins… Le plus souvent c'est l'index qu'on coupe aux ennemis
à qui on laisse la vie sauve (le doigt qui appuie sur la détente).

Tous ces récits et bien d'autres du même style, nous les tenons, Walid et moi,
de Tamar, notre nounou, de Salim, l'épicier, et de quelques voisins,
qui bavardent devant nous à la cuisine. Mais je crois qu'ils se trompent,
puisque je n'entends jamais mon père ou ma mère évoquer ce genre de choses.
Je prends ces informations pour des *tofnis*, des affabulations,
et n'ose pas en parler à mes parents de peur de me ridiculiser.

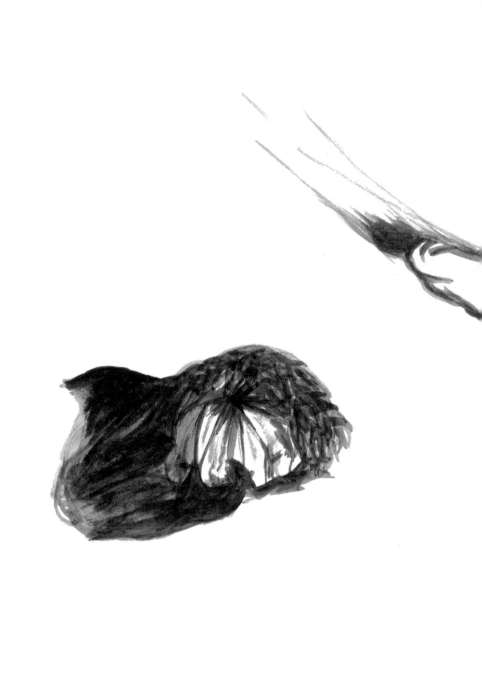

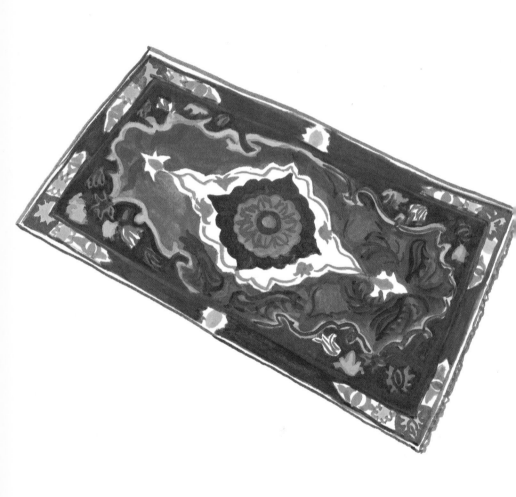

Évidemment, mes parents se gardent bien de parler de tout cela devant nous. Ce n'est que des années plus tard que j'apprends que Charbel, un camionneur bagarreur de Kattine, traînait à l'époque des cadavres de musulmans derrière son pick-up. Il en faisait le récit, tout fier, à mon père désespéré, qui le sermonnait et le menaçait de ne pas assurer sa défense s'il se faisait prendre. (Avant la guerre, mon père l'avait déjà sorti de prison plusieurs fois pour des affaires de *abadays*, de bagarreurs). « *Basita, estez Kamil !* Ce n'est pas grave, maître Kamil ! » disait-il pour calmer mon père.

Charbel pillait aussi les maisons bourgeoises de musulmans qui avaient fui les quartiers chrétiens de Beyrouth, et rapportait à ma mère des tapis persans, des vases de Chine, des opalines, qu'il essayait de lui offrir alors qu'il les revendait à d'autres. « Pour vous, sitt Leyla, car vous aimez les belles choses. » Elle refusait toujours, en l'engueulant, sauf une fois : c'était un album de photos de famille du début du siècle, dont certaines avaient été prises avec Jamal Bacha sous l'Empire ottoman, et d'autres avec le haut-commissaire Weygand ou Gouraud et le président Habib Bacha el-Saad, sous le mandat français. Il y avait également quelques photos plus récentes avec le Shah d'Iran, Camille Chamoun ou Abdel Nasser. Elle garda donc cet album, qu'elle rendit à ses propriétaires quinze ans plus tard, à leur retour d'Argentine où ils s'étaient exilés.

Les bourgeois chrétiens ont dû eux aussi fuir le beau quartier de Kantari, tombé aux mains des palestino-progressistes, souvent en catastrophe, par l'arrière des maisons ou par les jardins, à l'aide d'échelles ou de cordes, ou, comme la vieille tante Honeiné, dans un panier en osier descendu par une fenêtre. Après la fuite de ses habitants, Kantari sera mis à sac.

Quelque temps plus tard, un soir d'été sous la tonnelle à Kattine, un ami de mes parents, grand esthète et passionné d'art sumérien, nous raconte la drôle d'histoire d'une petite statuette. Au moment des combats de Kantari, il fuit sa magnifique maison. Quand il y retourne quelque temps plus tard, toutes les archives de sa famille ont été souillées d'excréments et tout le mobilier et les bibelots saccagés.

De la magnifique collection de statuettes de Mésopotamie, il ne reste plus rien, tout a été volé ou est en miettes. Non, pas tout, une seule petite statuette a échappé à la furie des Mourabitoun. Il la prend, elle est intacte.

Elle est d'une valeur inestimable, mais il n'arrive pas à se réjouir qu'elle soit sauve, il est totalement écœuré par l'étendue du désastre autour de lui. Il jure de ne plus jamais rien vouloir posséder. Une explosion pas très loin de là le fait sursauter. Il lâche la statuette qui se casse.

Mais bientôt le pillage et la destruction des souks, le saccage et la ruine des grands hôtels, le vol et le souillage de Kantari deviennent presque dérisoires pour les miliciens des deux bords. Alors les Palestiniens (principalement la Saïqa et le FDLP, Front démocratique pour la libération de la Palestine), réalisent le plus grand braquage de l'histoire bancaire en vidant les millions de dollars, en or et en bijoux, des coffres-forts de la rue des banques de Beyrouth, l'un des plus riches quartiers banquiers du monde.

Depuis le printemps, la rue des banques a changé plusieurs fois de mains. Deux milices chrétiennes se sont même livré bataille pour décider laquelle aurait le privilège de voler l'argent liquide et les chèques de voyage (facilement accessibles) de la British Bank of the Middle East. Finalement elles se sont partagé le butin. Mais les chrétiens « perdent » la rue assez rapidement. Les Palestiniens, qui arrivent à tenir la position longtemps, pénètrent dans la Banco di Roma et dans la British Bank, et ont le temps de faire venir d'Europe des spécialistes de la mafia pour leurs talents d'ouvreurs de coffres professionnels.

De leur côté, les Phalangistes s'adonnent au sac et à la destruction de la fameuse zone franche du port de Beyrouth. Du balcon de la maison de ma grand-mère, qui surplombe le cinquième bassin, nous assistons pendant des semaines aux va-et-vient de camions pleins à craquer de marchandises en tous genres. Une fois les miliciens et leurs familles rassasiés de machines à laver, de frigos, de Chrysler et de Pontiac, de montres suisses, de Baccarat, de Chopard et de Nina Ricci, les tonnes de marchandises restantes sont vendues aux enchères dans la cour du collège des Frères. Quand il n'y a plus rien à prendre, ils déclenchent des incendies dans les hangars vides, pour camoufler des méfaits de notoriété publique. Le port de Beyrouth brûle inutilement sous nos yeux pendant plusieurs jours.

On dit que c'est parce qu'ils étaient trop occupés au pillage du port que les Kataëb ont lamentablement perdu la bataille des hôtels.

En 1975 j'ai donc sept ans et je suis chez les Dames de Nazareth en classe de 12e. Après le 13 avril, je ne reverrai plus jamais mon collège, situé dans l'un des quartiers les plus chauds de la ville, et qui porte d'ailleurs son nom, *el-Nasra*, tout près de la rue de Damas, *tarik el-Cham*, devenue ligne de démarcation entre Beyrouth Ouest, *Gharbieh*, et Beyrouth Est, *Charkieh*, où nous habitons. La division de Beyrouth en deux parties est maintenant bien établie. Tout le centre-ville (le Borj, Bab Driss, les souks, la place Debbas, la place de l'Étoile…) est devenu un gigantesque no man's land totalement détruit, où seuls miliciens et francs-tireurs continuent de s'aventurer.

Nous, nous sommes désormais entre chrétiens, avec des Vierges, des crucifix et des cèdres géométriques pour seul horizon. Nous payons la taxe, les SKS (Section kataëb de sécurité) sévissent à Beyrouth Est.

Pendant plusieurs mois je ne vais plus du tout à l'école. Tout ou presque a changé dans ma vie, comme dans celle de tous les habitants de Beyrouth. Le temps des pénuries, du rationnement et des réserves a commencé.

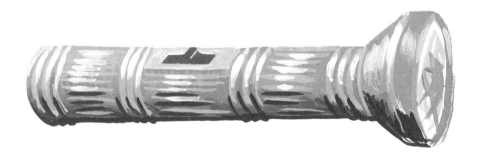

Plus d'électricité, on s'éclaire à la bougie, à la torche, à la lumière blafarde du camping-gaz.

On ne prend plus jamais l'ascenseur, même quand il y a du courant, de peur de rester bloqué à l'intérieur si une coupure survient à ce moment-là.

Le téléphone ne fonctionne plus que rarement. Ça ira en empirant avec les années. Passer des heures à attendre la tonalité, composer un numéro avec mille précautions comme si on marchait sur des œufs, guetter le moindre soupir, souffle, sifflement du combiné comme un médecin qui fait une auscultation, pour finalement voir tous ses espoirs partir en fumée au son « occupé », *machghoul*, et réessayer… La phrase miraculeuse « *Fatah el-khat !* », « La tonalité est arrivée ! », claironnée à la ronde, est toujours accueillie par des exclamations de joie, des bravos et des hourras. C'est le signe concret que Dieu ne nous a pas totalement abandonnés.

C'est dur d'être privé de communications dans un pays où il est si important et même vital d'avoir des nouvelles en permanence. Mon oncle Robert, toujours à la pointe de la technologie, rapportera d'un voyage aux États-Unis l'un des premiers téléphones portatifs, dès 1977. L'engin, branché dans son Oldsmobile blanche, reste pendant plusieurs mois une véritable attraction pour petits et grands. Aller téléphoner en voiture est aussi fantastique que marcher sur la Lune. Quand, un an plus tard, la pratique de ces téléphones se sera répandue, Robert passera aux générateurs d'électricité individuels, qui connaîtront, le « conflit » empirant, un succès indéniable.

Plus d'eau courante, on va faire le plein directement à la source,
munis de « galons » et de bouteilles. Les douches quotidiennes deviennent
un luxe, et tirer la chasse d'eau un véritable cas de conscience.
L'eau qui sert à se laver le visage et les mains est soigneusement recueillie
et recyclée. Pour se laver le corps, on réchauffe de l'eau dans une casserole
et on la mélange ensuite avec parcimonie à de l'eau froide pour se rincer.
Pénurie d'essence…
Il faut prévoir des stocks de tout, dès que possible,
même si c'est une habitude levantine d'envisager la vie à court terme.
Stocks de recharges de camping-gaz,
de Chiclets et de Bomba,
stocks de bougies, d'allumettes, d'huile,
stocks de Zwan et de corned-beef, aliments magiques
qui n'ont pas besoin d'être conservés au frigo.
Stocks de biscuits Gandour, Lucky 555 et *Dabké*,
qui portent si bien leur nom, qui veut dire « bagarre »,
stocks de Valium pour ceux qui n'arrivent plus à trouver le sommeil,
stocks de Nivea pour les mains et le doux visage de Tamar, ma nounou,
amoureuse d'un milicien phalangiste qui roule en BMW,
au grand désespoir de ma mère.

Stocks de piles pour les torches, mais surtout pour les radios,
qui sont branchées en permanence pour les *moulhaks*, flashs d'infos,
désormais diffusés en continu. Les petites radios légères à piles se sont
brusquement répandues à ce moment-là, d'une part parce qu'il n'y avait plus
d'électricité, et d'autre part parce qu'elles étaient facilement transportables
d'une pièce à l'autre. Mon père passera quinze ans avec une radio vissée
à l'oreille. (Le son de ces petites radios était faible et le grondement
des bombardements était fort…) Même vingt ans après la fin de la guerre,
encore aujourd'hui, c'est avec la radio à l'oreille qu'il écoute le journal.
Annoncées par un jingle à la fois alarmiste et attirant, les zones dangereuses
sont désignées d'après les commerces ou cinémas réputés, les noms de rues
ou de places n'ayant jamais été une manière efficace de donner
une adresse à Beyrouth.

Tirs de mortier à Starco.
Combats de rues à l'Empire,
au Rivoli, au Regent,
à l'Automatic.
Barrages volants à Sodéco,
enlèvements, à la galerie Semaan.
Cadavres mutilés à Azarieh.
Francs-tireurs à Souliers Gérard,
échanges d'artillerie à la Cola et au Chevrolet.
Accrochages sanglants à *Binayat el-Kamal*, l'immeuble el-Kamal,
Incendies au Spinney's…

Et on fait aussi des stocks de cigarettes…

II

الكازار

ALCAZAR

Henri a disparu ! Il n'est pas rentré !

Arrêté ? Kidnappé ? Exécuté ?

Parti de chez nous, à Achrafieh, où il vient souvent se lancer dans des analyses politiques avec mon père, il n'est jamais arrivé chez lui, à Zarif, à Beyrouth Ouest, où l'attend tante Marcelle.

On s'inquiète, car depuis quelques mois les enlèvements et exécutions sommaires entre chrétiens et musulmans sont devenus un jeu national. Les civils sont arrêtés aux barrages volants par des « éléments incontrôlés » des différentes milices, qui les exécutent sans autre forme de procès, après vérification de leur religion sur la carte d'identité, la *tézékra*. Certains ont plus de chance et sont gardés en vie comme monnaie d'échange.

Tonton Zouzou (le frère d'Ignace) s'est ainsi déjà fait arrêter devant le collège des Sœurs de Besançon, quelques semaines plus tôt, en sortant de la Banque centrale où il est fonctionnaire. Séquestré pendant quelques heures, il a la chance d'être échangé contre un musulman, les interventions en sa faveur ayant eu le temps de fonctionner (mon père et Mgr Ziadé, mon grand-oncle l'évêque, vite avertis, avaient contacté leurs relations à Beyrouth Ouest).

Kamal Bey Joumblatt,
député du Chouf,
chef des Druzes et du PSP

« Abou Ammar », **Yasser Arafat,**
chef du Fateh et de l'OLP

Monseigneur Ziadé,
évêque maronite de Beyrouth

L'imam **Moussa el-Sadr**,
président du Conseil Supérieur chiite,
fondateur du Mouvement des Déshérités

Saeb Salam,
ancien Président du Conseil,
leader sunnite

Rachid Karamé,
député de Tripoli,
Président du Conseil,
sunnite

Pour Henri, nous avons raison de nous inquiéter...
Henri est maronite (chrétien) sur sa carte d'identité, mais en réalité un athée convaincu. Homme de gauche, *yassaré*, il est d'ailleurs plus proche de Kamal Joumblatt (leader des forces progressistes socialistes et allié des Palestiniens), dont il est l'ami, que des chrétiens de droite.
Les « éléments incontrôlés » qui le sortent de sa voiture ce bel après-midi de mars 1976 ne s'embarrassent pas de ce genre de nuances.

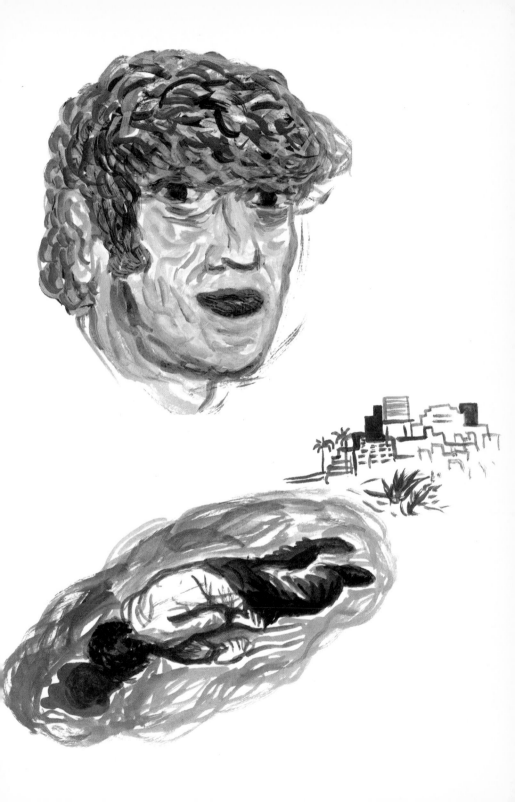

C'est à cette période-là que mes parents vont passer quelques jours à l'hôtel Cavalier, et qu'ils y resteront bloqués pendant des semaines. Les pires semaines de ma vie, je crois.

HOTEL
CAVALIER

L'hôtel Cavalier est situé à Hamra, à *Gharbieh*, à côté du grand quotidien *Al-Nahar*. (Beyrouth est réputée pour être la ville possédant la presse la plus libre et la mieux informée du monde arabe.) C'était le QG de ses journalistes, de Ghassan Tuéni et de Raymond Eddé, le centre névralgique de l'analyse politique dans la ville, le centre du monde. Mes parents y sont allés pour aider tante Marcelle dans ses recherches au moment de l'enlèvement d'oncle Henri. Le passage entre *Gharbieh* et *Charkieh* étant devenu totalement suicidaire, leur séjour « forcé » au Cavalier durera plus longtemps que prévu. Il faut dire aussi qu'ils y sont au centre de l'information et aux côtés de Raymond Eddé, candidat à la présidence de la République, dont mon père est un proche.

Raymond Eddé, soutenu par les Libanais qui pensent que les armes
ne devraient pas être un argument en politique (c'est-à-dire très peu
de Libanais), est le seul grand leader chrétien à ne pas avoir sa propre milice
ni son système de racket organisé, et à être en bons termes avec les musulmans,
avec la gauche, avec les Palestiniens. Il s'exilera quelques mois après les élections
perdues et après avoir échappé à trois attentats en région chrétienne.

ine Gemayel

Camille Chamoun

Kamel el-Asaad

Elias Sarkis

Le nouveau président, Elias Sarkis (alors gouverneur de la Banque centrale), sera élu en vingt minutes à la villa Mansour, sous une pluie d'obus, par une partie seulement des députés. Alors que tout le monde espère que ça sera peut-être le début de la fin de la « crise », j'entends encore le soupir sceptique de mon oncle Zouzou devant l'écran de télé, où nous voyons Sarkis prêter serment au Park Hotel de Chtaura. Encore un hôtel !

Mais nous n'en sommes pas là, mes parents sont toujours au Cavalier,
et je leur en veux. Je hais cet hôtel qui m'a séparée d'eux dans un monde
si horrible. Je les hais de nous avoir laissés, Walid et moi, seuls à Kattine,
avec ma grand-mère et Tamar, alors que le pays est à feu et à sang
et qu'eux s'amusent et rigolent à l'hôtel Cavalier.

Oui, c'est cela que je pense. Dans ma petite tête à l'imagination débordante,
je suis persuadée que l'hôtel Cavalier, qui se trouve dans le sulfureux quartier
de Hamra, est une sorte de lupanar où l'on danse, embrasse, rigole, se soûle,
bâfre, une espèce de cabaret décadent où ils sont allés s'amuser en oubliant
la guerre et en nous abandonnant, Walid et moi, sans se poser de questions,
avec au maximum un petit regret de temps à autre.
Je pense que leur inconscience va les perdre et qu'ils vont mourir comme Henri,
l'hôtel Cavalier étant situé pour moi en enfer, de l'autre côté de la ligne
de démarcation. Je suis horriblement malheureuse et tourmentée, persuadée
de devenir bientôt orpheline. Les récits de nouveaux massacres comme
Karantina et Damour sont parvenus à mes oreilles. Sans parler de la fameuse
guerre des hôtels qui fait rage au même moment. L'hôtel Cavalier n'est pas
dans le quartier de la bataille (seulement quelques rues plus loin),
mais pour moi à l'époque, le mot hôtel à lui seul est explosif.
Plus un coup de fil depuis plusieurs semaines.
Qu'allons-nous devenir, Walid et moi, s'ils ne reviennent jamais ?
Je me vois déjà vingt ans après, retournant à l'hôtel Cavalier pour retrouver
leur trace, belle et tragique comme les actrices égyptiennes des feuilletons
que je regarde assidûment à la télé, dans la chambre de Tamar.

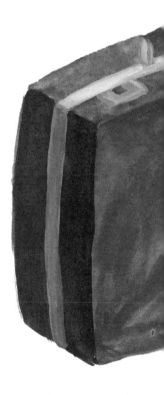

Avec le Samedi Noir, l'ère des massacres et de la terreur va prendre un nouvel essor, chaque sommet de l'horreur n'étant surpassé que par le suivant.

Au fil des mois l'espoir que tout cela se termine un jour quittera bel et bien les Libanais, qui font leurs valises et s'en vont, laissant le pays aux seigneurs de la guerre, aux assoiffés de sang et aux trafiquants en tous genres.

Bien que n'appartenant à aucune de ces trois catégories, mais à une quatrième, celle des Orientaux suicidaires, mes parents, finalement revenus de l'hôtel Cavalier, n'ont jamais voulu partir.

Ce qui me permettra de passer une enfance rythmée par des événements funestes dont voici les plus mémorables :

Le Samedi Noir, *El-sabt el-Assouad*, le 6 décembre 1975, 200 musulmans sont abattus par les Kataëb dans le quartier chrétien de Beyrouth, en réponse au massacre à la hache de quatre phalangistes la veille.

Ce samedi est qualifié de noir parce qu'il se situe au tout début de la guerre et qu'il est le premier massacre de ce type et de cette envergure.

Par la suite, on renoncera à baptiser « noires » des journées pourtant beaucoup plus funèbres que celle-là.

Le 19 janvier 1976, massacre de la *Karantina* (la Quarantaine).
Les Kataëb incendient et rasent le camp de *Karantina*, puis sabrent
le champagne. 1 000 personnes massacrées. 25 000 réfugiés. Ce bidonville
extrêmement pauvre et insalubre se trouvait à la sortie nord de Beyrouth,
le long de la côte, sur la route que nous empruntions pour aller à notre maison
de Kattine. Là vivaient des *Krad* (Kurdes) et des réfugiés palestiniens
et libanais du Sud, infiltrés par les *fidayins*.
Ce « verrou » tenu par les Palestiniens en pleine région chrétienne était devenu
une menace, un problème pour les Kataëb, le contrôle de la sortie nord
de Beyrouth leur échappant.
Sur la route de Kattine, c'était mon passage préféré, à cause des couleurs fluo
des foulards des femmes, des couleurs sucrées et acidulées des T-shirts
des enfants, des draps et des serviettes qui séchaient au soleil, des enfants
qui jouaient pieds nus et que j'enviais, des jeunes filles qui avaient l'air
d'héroïnes d'un roman exotique, des eucalyptus aux ombres gigantesques
et des baraquements en bois, en parpaing et en tôle ondulée où j'aurais bien
joué à cache-cache.

Lorsque nous retournons à Beyrouth après le massacre, en passant devant l'immense terrain vague qu'est devenu l'emplacement du camp rasé, j'ai le cœur fendu et j'ai honte, petite ignorante, petite fille riche, d'avoir pensé que la vie de ces enfants pauvres était enviable.

Puis Tamar a dit : « Enfin, les Kataëb ont nettoyé Karantina de cette racaille palestinienne ! » J'en suis bouleversée, je ne sais plus quoi penser. Alors je n'aurais rien compris ? Les méchants seraient ces enfants aux couleurs bariolées, et les bons, ces miliciens armés et cagoulés ? Enfoncée dans la banquette arrière de la voiture, les yeux rivés sur cette vaste étendue où il n'y a plus aucune vie ni aucune construction, pour la première fois j'ai envie qu'on m'explique. Mais je ne demande rien à Tamar.

Arrivée à l'appartement de Beyrouth où nous ont devancés nos parents, je fonce dans le bureau de mon père et lui demande : « C'est vrai que les Palestiniens de Karantina c'étaient des salauds ? Et puis d'abord, c'est quoi exactement les Palestiniens ? » Il referme la porte derrière moi et là j'ai un petit cours de géopolitique du Proche-Orient adapté à mon âge. La Palestine, les salauds d'Anglais, le sionisme, Balfour, Jérusalem, l'hôtel King David, David Ben Gourion, l'État d'Israël, les réfugiés, les salauds d'Israéliens, les colons, les camps, Gamal Abdel Nasser, la guerre des Six-Jours, Moshe Dayan, la guerre du Kippour, Hussein de Jordanie, Septembre Noir, l'OLP, les salauds d'Américains, le terrorisme, la lutte par les armes, la faiblesse du Liban, les erreurs des Palestiniens, la peur des chrétiens, le début de la guerre… J'aurais adoré apprendre que les Palestiniens sont vraiment les méchants, ça m'aurait paru plus simple. Je venais d'entrer à sept ans dans un monde complexe, fait de contradictions et de nuances, dont le Liban doit être un des meilleurs exemples sur cette terre.

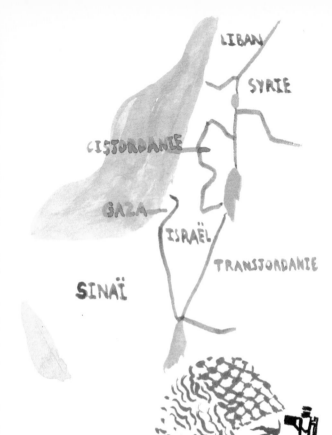

LIBAN
SYRIE
CISJORDANIE
GAZA
ISRAËL
TRANSJORDANIE
SINAÏ

Yasser Arafat

Lord Balfour

David Ben Gourion

Gamal Abdel Nasser

Le roi Hussein de Jordanie

Le lendemain de Karantina, le 20 janvier 1976, massacre de Damour
en représailles. Les palestino-progressistes et surtout la Saïqa pillent
et détruisent Damour, village chrétien et bourgeois du sud de Beyrouth.
500 habitants massacrés. Les cousins de mon père, les Chkaibane,
que je ne connaissais que de nom, ont tout perdu, leurs belles maisons,
leurs orangeraies, leurs milliers de bananiers, mais ils sont encore en vie.
Ils prennent la fuite vers Saïda et, après un périple à travers tout le Liban
(Saadiiat, Jezzine, la Bekaa, les Cèdres, Batroun…), ils arrivent un matin
à Kattine, à deux ou trois familles, et restent chez nous plusieurs mois.
Ils sont comme les réfugiés des camps, tout ce qui leur reste est sur le toit
de leur voiture. Nous sommes en avril, mes parents sont alors au Cavalier,
et voir débarquer ces étrangers en fuite me bouleverse totalement.
Si tout le monde fuit les régions dangereuses pour venir se réfugier
à Kattine, pourquoi pas mes parents ? Sont-ils déjà morts,
ou s'amusent-ils trop à Hamra ?

Assassinat de Linda el-Atrache, la sœur de Kamal Joumblatt, chez elle,
en région chrétienne, le 27 mai 1976. Assassinat de l'ambassadeur
des Etats-Unis, Francis Melloy, de son conseiller économique
et de son chauffeur, abattus à « l'intersection du musée »,
point de passage entre l'Est et l'Ouest, le 16 juin 1976.
La liste des personnalités assassinées sera longue. Journalistes, ambassadeurs,
hommes politiques libanais, responsables palestiniens…

Chute de Tal el-Zaatar, camp palestinien, le 12 août 1976, après 53 jours
d'un siège horrible. Le lendemain de l'anniversaire de mes neuf ans. 2 500 tués.
Aucune de mes copines d'école n'a pu venir. Ma mère, qui tient quand même
à faire une petite fête, invite des enfants stupides que je ne connais pas,
filles de vagues amis réfugiés dans la région de Kattine.
Ma haine de mes anniversaires date de cette époque.

Le 16 mars 1977 dans le Chouf, assassinat de Kamal Joumblatt.
Quelques jours avant ma première communion, que je fais sans conviction.
Personne d'ailleurs dans mon entourage ne se sent obligé de me marteler
que Dieu existe (à part le curé, je suppose, mais je ne m'en souviens plus).
La cérémonie a lieu dans le parking souterrain d'un immeuble désaffecté
qui sert de local à mon école de remplacement, l'Athénée,
puisqu'on ne peut plus arriver jusqu'à Nazareth. Le genre d'endroit
où on viole les petites filles, pas où on rencontre le Bon Dieu.

Le 14 mars 1978, plus de 20 000 soldats israéliens, massivement soutenus
par l'aviation, l'artillerie terrestre et marine, ainsi que par les blindés, occupent,
en moins de 24 heures, un dixième du Liban. Des centaines de tués, des milliers
de blessés, palestiniens et libanais, d'énormes destructions et 120 000 réfugiés
qui affluent vers le Nord, pour finir sous les tentes et sur les trottoirs de Saïda
ou de Beyrouth Ouest. La tragédie du Sud se poursuit, Begin n'y est pas allé
de main morte. Mes parents ont l'air affolé, mais je ne comprends pas très bien
pourquoi. Chez nous, c'est calme ces jours-ci, et puis le Sud, ça a l'air tellement
loin, on n'entend que les avions dans le ciel, et à peine les bombardements...

Majzaret Ehden. Le 13 juin 1978, assassinat de Tony Frangieh (fils du président Frangieh), de sa femme, de sa fille, de ses hommes et de son chien, à Ehden. Une nouvelle étape est franchie, désormais les chrétiens se massacrent entre eux. La région chrétienne va à son tour être divisée en deux camps ennemis.

La liste des attentats et massacres est longue, encore très longue.
Ils créent le climat d'effroi et d'angoisse dans lequel nous vivons maintenant
quotidiennement. Mais moi, ce qui me traumatise vraiment,
ce sont les bombardements. Les bombardements aveugles sur la ville.
Entre deux cessez-le-feu je ne vis plus.
Comme tout le monde, je commence à être capable de décrypter ces sons
qui nous ébranlent à chaque coup : les détonations des « départs »
et des « arrivées » m'épouvantent. De même que le sifflement strident
qui accompagne le trajet d'un obus, et qui est censé être rassurant
parce qu'il signifie que l'obus passe au-dessus de votre tête, qu'il ne s'abattra
donc pas sur vous. J'ai beau le savoir, je n'en ai pas moins les jambes liquéfiées,
le dos glacé et la bouche asséchée à chaque sifflement. Les poils hérissés
sur ma peau, le ventre noué deux cents fois, les entrailles dans le gosier
et les pieds comme deux enclumes. C'est sûr, le plus « réconfortant » à entendre,
c'est la détonation sourde des « départs », puisque ce sont les obus que notre
camp destine aux autres, et qui sont tirés de chez nous. Les déflagrations
des « arrivées » sont les pires puisque ce sont les obus que nous envoient
ceux d'en face, et qui tombent juste à côté de nous.

Il arrive bien sûr d'entendre les départs et les arrivées d'un même obus, généralement quand ça se passe plus loin, que c'est un « échange d'artillerie » auquel on ne participe pas de près.

Cela dit, le bruit des départs de « notre » artillerie n'est pas forcément toujours rassurant, pas quand il est trop proche par exemple, les autres allant certainement localiser le tir et répliquer. Exemple : si les obus destinés à Beyrouth Ouest sont tirés du parking qui est au bas de notre immeuble ou du terrain vague qui est juste derrière, nous avons de sérieuses raisons de nous inquiéter, puisque ceux d'en face vont « répondre sur notre tête ».

Un autre raisonnement logique veut qu'un obus ennemi dont on entend le départ n'est pas dangereux non plus, puisque le son a un temps de retard sur l'action, que donc quand on l'entend partir c'est qu'il est déjà arrivé, et pas « sur notre tête » puisqu'on est encore vivant pour l'entendre.

On finirait par croire qu'en fin de compte tous les sons sont plutôt rassurants tant qu'on les entend, et qu'il n'y a vraiment pas de quoi s'inquiéter.

Et puis il y a ceux, comme Walid, bon petit garçon, « *hal azaar*, ce voyou », comme dit Tamar, qui reconnaissent et nomment les différentes pièces d'artillerie utilisées, rien qu'au son. C'est un Haouen, c'est du 155, c'est une Douchka. Comme on reconnaît les fleurs à l'odeur.

Du jasmin, des soucis, des gueules-de-loup. Des chrysanthèmes.

Pour beaucoup de gens, compter les déflagrations, essayer de localiser l'impact des obus et deviner leur calibre, commenter l'évolution du bombardement et sa logique, c'est un bon moyen de dompter sa peur et de rendre ces nuits interminables moins longues. Mais moi, tout me fait peur, y compris le grondement de l'orage, le rideau de fer qu'on abaisse ou la porte qui claque.

Une nuit particulièrement épouvantable passée dans le couloir
de l'appartement (la seule pièce sans murs extérieurs, qui nous sert d'abri),
je suis prise de maux de ventre tellement forts qu'ils m'arrachent
des hurlements de douleur à couvrir le bruit du bombardement.
Le lendemain matin, à la première annonce de cessez-le-feu, ma mère
m'emmène à l'Hôpital orthodoxe (le plus proche de chez nous)
encore pliée en deux de douleur. Elle est persuadée que c'est une appendicite.
Nous traversons les couloirs encombrés de lits de malades sortis
de leurs chambres et mis à l'abri, et des nouveaux blessés de la nuit
qui continuent d'arriver au son des ambulances. Elle pense que, vraiment,
le moment est mal choisi pour avoir une appendicite. Après m'avoir auscultée,
le docteur Fayez Bitar, épuisé par sa nuit passée au bloc opératoire mais encore
capable de faire un diagnostic, dit en souriant : elle n'a rien, elle a seulement
eu très peur. Je m'en suis sortie avec quelques comprimés et aussi un peu honte.

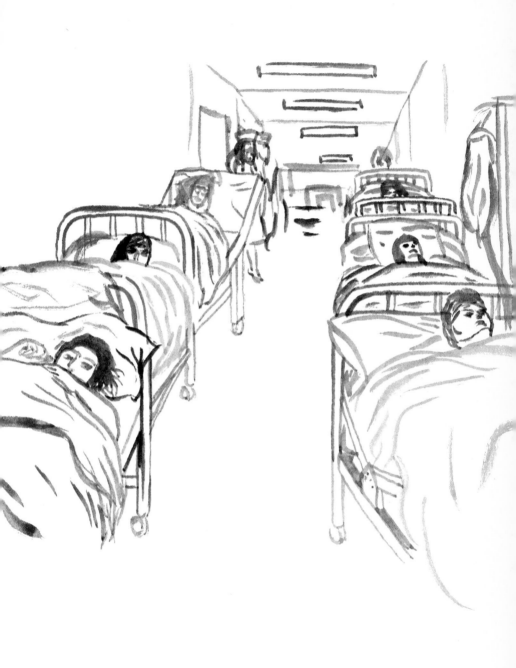

Les nuits de bombardements, je vais dormir dans le lit de mes parents ou dans celui de Tamar. Si le bombardement est trop fort, trop proche, nous allons tous nous mettre à l'abri dans le couloir protégé, désormais toujours équipé de matelas de fortune qui n'en bougent plus. Avec le temps, nous avons renoncé à descendre dans l'abri du sous-sol, sauf pour les bombardements les plus apocalyptiques. Même les nuits calmes, je m'efforce de ne pas m'endormir et je lis dans mon lit le plus longtemps possible. Ma crainte, si je m'endors, est de ne pas entendre les débuts lointains d'un bombardement, de ne pas pouvoir donner l'alerte pour se mettre à l'abri avant qu'il ne se rapproche. J'imagine que mes parents et Tamar dorment à poings fermés, qu'ils n'ont pas peur car ce sont des adultes.
Ce n'est que récemment, en bavardant avec ma mère, que j'ai compris que je n'avais pas le monopole des insomnies en ce temps-là.

Alors, je lis. La peur au ventre, je dévore les Bibliothèque Rose et les BD,
qui me tiennent éveillée au cas où…
Mes nuits sans sommeil sont peuplées de héros que j'aime.
Ils sont mes amis,
ils me protègent.
D'autres personnages plus sinistres planent sur la ville.
En keffieh, en saharienne, en complet blanc et chaussures vernies ou en treillis.
Ils me font peur.
Ce sont des monstres, je les hais.

Elias Sarkis, le nouveau président de la République

Hafez el-Assad, le président syrien

Soleiman Frangieh,
précédent président de la République,
chef chrétien maronite

Camille Chamoun,
ancien président de la République,
chef chrétien maronite

Pierre Gemayel,
fondateur et président des Kataëb,
chef chrétien maronite

Rachid Karamé,
président du Conseil,
leader sunnite

Kamel el-Assaad,
président de la Chambre,
leader chiite

Bachir Gemayel,
fils de Pierre Gemayel,
chef maronite des milices des Kataëb

Yasser Arafat, «Abou Ammar»,
chef du Fateh et de l'OLP,
Palestinien

Il y a la lecture et, autre source de bonheur intense, la télé. Les feuilletons
égyptiens, les séries américaines, les comédies libanaises, les dessins animés…
Mais ces félicités nous sont comptées. Nous sommes obligés d'attendre
le rétablissement du courant pour nous précipiter devant la télé.
On ne regarde pas *Al-dunia heyk* à la bougie…
À la télé, tout est possible, nous avons même vu Sadate à Jérusalem,
et ce n'était pas une comédie. Estomaqués, nous le regardons faire un discours
devant la Knesset ! Les Israéliens ont eux aussi fait un geste pour rendre
hommage au Raïs : ils ont passé à la radio une chanson de Dalida,
Salma ya salama, vieille complainte égyptienne.

Puis c'est « la guerre des cent jours », qui opposera les milices chrétiennes aux Syriens, leurs anciens amis.

Pendant le pilonnage d'Achrafieh par les Syriens, notre appartement brûle alors que nous sommes réfugiés à Kattine.

Les bombardements durent trois mois sans répit, cet été-là.

La guerre des cent jours est particulièrement meurtrière et destructrice.

Les Syriens pilonnent Achrafieh, notre quartier, à l'aveugle, d'un immeuble à l'autre, mais avec des armes qui sont censées être employées d'une ville à l'autre... Les *réjmé*, les orgues de Staline installées dans la tour Rizk, le plus haut immeuble de *Charkieh*, tenu par les Syriens, cracheront jusqu'à 100 obus par heure sur les immeubles voisins.

Chaque jour, les nouvelles qui arrivent jusqu'à Kattine sont tragiques : destruction et incendies spectaculaires des réservoirs d'essence de Daoura. Privations sauvages d'eau, de farine, d'essence, de gaz. Et surtout d'électricité, même dans les hôpitaux. Le docteur Pierre Farah, le cousin de ma mère qui est chirurgien à l'Hôtel-Dieu, opère à la bougie. Sami Haddad est mort d'un éclat d'obus dans le crâne. Nayla Asfar a été retrouvée sous les gravats de sa maison. Notre appartement est en feu...

Cet été-là, nous assistons aussi à la télé, hébétés, au feuilleton de la signature des accords de Camp David. Sourires satisfaits, amour, paix... Beyrouth agonise, mais nous sommes contents pour eux, là-bas, à Camp David. Nous sommes émus, nous en avons les larmes aux yeux, même. Surtout à Camp Sabra, Camp Chatila, Camp Bourj Brajneh, où on pleure carrément. On ne le sait pas encore, mais on n'a pas fini de pleurer.

Jimmy Carter

Anouar el-Sadate

Menahem Begin

Puis c'est la fin de la guerre des cent jours. Après trois mois passés à Kattine, notre retour à Beyrouth en octobre, au moment du cessez-le-feu, est une véritable épreuve. Ce ne sont plus les souks et le Borj (où nous n'étions plus jamais retournés) qui sont touchés cette fois. Notre quartier, nos rues, notre immeuble, offrent une vision d'apocalypse. Immeubles éventrés, écroulés, calcinés, voitures brûlées, explosées, routes défoncées, fumée noire s'échappant d'un peu partout.

De la fenêtre arrière de la voiture de mon père, ce spectacle de fin du monde me fait mal au ventre, j'ai envie de vomir et j'ai une boule de larmes coincée au fond de la gorge. Je pourrais pleurer. Je ne sais pas pourquoi, je n'en fais rien. Ce qui permet à ma mère de dire, faisant le récit de notre retour à ma grand-mère au téléphone, quelques heures plus tard : « Oh, les enfants, ne t'inquiète pas pour eux, ils ne se rendent compte de rien ! »

Dans notre immeuble, six étages sur dix sont calcinés, les autres sont juste éventrés. L'armée syrienne qui a pilonné l'immeuble était en position dans l'immeuble Abouhamad, seulement quelques rues plus loin.
À la vue de notre appartement, j'ai l'impression de naître une troisième fois. Rien ne sera plus jamais comme avant.
La perte de tout, bijoux, vêtements, meubles, objets, tableaux, affecte beaucoup moins ma mère que celle de ses albums de photos. Chance, ma poupée préférée était avec moi à Kattine.
Nous allons alors habiter chez ma grand-mère pendant un an, le temps de faire les travaux de réparation.

Téta Simone habite à Gemayzeh, rue Pasteur, une vieille maison libanaise donnant sur le port et à quelques centaines de mètres de la ligne de démarcation (au bout de la rue Pasteur, il y a la place des Martyrs). Le milieu de la rue est barré de pneus, d'un mur de sacs de sable, d'un container volé dans le port, et d'un bus de la municipalité de Beyrouth, qui indiquent la limite à ne pas franchir pour rester hors d'atteinte des balles des francs-tireurs. La maison de Téta est située juste avant cette série de mises en garde.

En réalité, certains jours, les balles dépassent cette frontière pour venir ricocher sur le mur extérieur du jardin côté ouest, le côté de l'entrée principale. Nous ne l'utilisons du coup plus du tout, entrant et sortant côté cuisine, cinq mètres plus loin.

Depuis trois ans déjà, nous savons que le chemin le plus court d'un point à un autre, ça ne veut plus rien dire. Il n'est pas rare de devoir faire un détour de dix minutes entre deux endroits situés à quelques mètres l'un de l'autre dans une même rue. Pour cette même raison, les rues à sens unique n'existent plus dans les quartiers de la ligne de démarcation.

La salle de bains de Téta aussi est un endroit dangereux. Elle bénéficie, grâce à un enchaînement improbable de percées et d'ouvertures entre les immeubles voisins, d'une vue presque directe sur la place des Martyrs. Bien obligée, Téta prend donc sa douche dans l'autre salle de bains de la maison, à son grand désespoir, considérant que nous sommes tous truffés de microbes auxquels elle ne veut pas s'exposer.

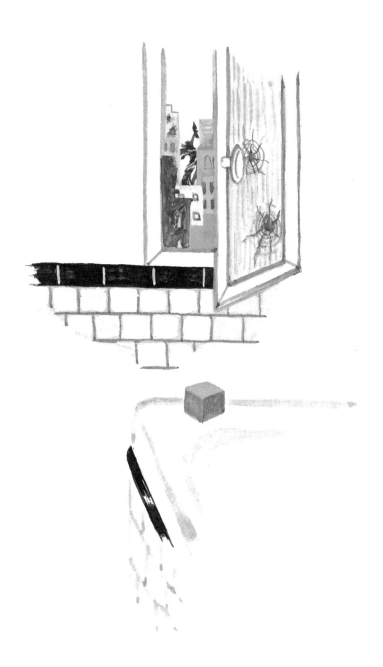

Téta habite à l'étage supérieur. Bechara, son chauffeur, et sa famille logent au rez-de-chaussée. Par les temps qui courent, ce sont les pièces les plus enviables. Nous passons donc souvent les nuits chaudes chez « Bich ».
Il y a là : mon père, la radio à l'oreille, ma mère, ma grand-mère, Tamar, Walid et moi, Bechara, sa femme Nada et leurs deux enfants, Fadi et Fadia. Nada passe la nuit à préparer et servir du café aux adultes, comme si le bombardement ne suffisait pas seul à les tenir éveillés.
Thérèse est là aussi, mais elle se fait beaucoup prier avant d'accepter de descendre, déclamant qu'elle préfère mourir là-haut que de se terrer comme un rat, et que *Abou Ammar* (Arafat), *hal kalb, yrouh aa jhanam*, ce chien, qu'il aille au diable. En réalité, elle est tellement grosse que l'idée de remonter les escaliers le matin, quand le calme est revenu, lui est plus pénible que celle d'affronter une mort héroïque. Elle se résout en général à nous suivre pour la bonne raison que Walid refuse de descendre sans elle, mais arrive toujours dix minutes après nous, dandinant son gros corps et maudissant finalement aussi bien ceux d'en face que les *chabeb* qui sont dans notre rue, *kellon ekhwet sharmouta*, tous des frères de putes.
Le matin venu et les combats ayant cessé, nous montons, Walid et moi, sur le toit de la chambre de Thérèse (la seule pièce à avoir un toit plat) pour ramasser les balles perdues de la nuit, des douilles et des éclats d'obus pour notre collection.
Les *chazaya* ont des formes curieuses et variées, comme les taches de Rorschach. Vierge, lapin, motocyclette… Certaines balles sont précieuses et dangereuses car elles n'ont pas encore éclaté. Le clou de notre collection est le cul d'un obus de mortier de 50 mm.

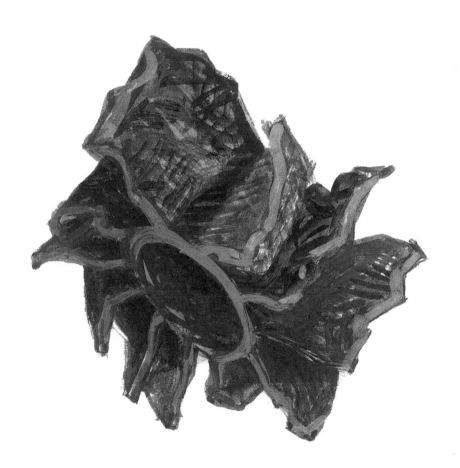

Sous ses magnifiques lustres en Baccarat, Téta empile deux ou trois matelas,
au cas où un obus trop proche les ferait chuter (de sept mètres).
Pour les plâtres du plafond on ne peut pas grand-chose, de toute façon
il n'en reste plus beaucoup depuis l'automne 1975.
Mais les plâtres, ce n'est pas grave. Le problème des tuiles est plus épineux.
Si elles ne sont pas remplacées chaque fois qu'il y en a de brisées, il pleut
dans la maison, et les pluies de Beyrouth sont torrentielles. Alors Téta a trouvé
Toni, le seul homme du quartier qui accepte d'aller sur son toit. Pour lui donner
du courage, elle lui offre un verre de whisky avant qu'il ne monte.
Il serait plus exact de parler d'une bouteille de whisky entière, qu'elle le laisse
vider tranquillement. Téta culpabilise d'encourager ainsi l'alcoolisme,
mais il faut bien ça, dit-elle compréhensive, pour que Toni accepte
de se retrouver dans la ligne de mire d'un *annas*, d'un franc-tireur.

Malgré la guerre qui continue son cours, je garde un souvenir de bonheur et de douceur de cette année 1979. Sans doute parce qu'elle n'est pas la plus terrifiante, mais certainement aussi parce que nous la passons chez Téta. Car là plane un charme incomparable, fait de mythes libanais, de légendes familiales et d'odeurs.

L'odeur du jasmin qui entre par la fenêtre, l'odeur du gâteau de Thérèse qui sort de la cuisine, l'odeur des *marsaben*, fleurs en pâte d'amande, fabriquées par les sœurs chouérites dans leur couvent de Zouk, l'odeur des sirops à l'eau de rose, que nous buvons chaque jour au goûter...

L'odeur du café froid, quand Marie Abdallah vient « lire » dans le marc, après avoir retourné la tasse pendant quelques minutes, pour que se dessine l'avenir sur les parois. « Sitt Simone, le Bon Dieu vous aime, votre petite fille (pas moi, ma cousine) va faire un grand mariage, je vois un anneau avec un gros diamant au fond de la tasse », ou alors : « *Allah ynajina*, que Dieu nous sauve, sitt Simone, soyez vigilante, un beau Palestinien va séduire votre petite fille, ce soulier renversé, au milieu du chemin dans la vallée qui est au fond de la tasse, le montre très clairement. » Il aurait pourtant été si simple de dire : « Ma pauvre sitt Simone, la dernière déclaration de Menahem Begin, *hal kalb*, ne nous vaut rien de bon, *Allah yseedna*, que Dieu nous aide, je vois un chien noir au fond de la vallée. »

Il y a aussi l'odeur de la crème de Huit heures que Téta met sur ses lèvres trois fois par jour, l'odeur des chocolats d'Attié, que nous continuons à acheter, alors que la plupart des autres Beyrouthins ont renoncé.

Attié, meilleur chocolatier de la ville, était le fournisseur du palais présidentiel avant la guerre. Aujourd'hui, peu de gens s'aventurent encore dans le quartier où il a son magasin. Nous si, mais nous n'avons pas beaucoup de mérite, sa boutique se trouve rue Pasteur, collée à la maison ! Nous sommes logés pour ainsi dire à la même enseigne.

Elizabeth Arden
Eight Hour Cream

L'odeur du *bakhour*, l'encens d'Abouna Kebbé, qui vient bénir la maison chaque année à l'Épiphanie.

Téta ne lui épargne aucune pièce. Elle tient l'Esprit Saint en trop haute estime pour imaginer qu'il puisse s'en froisser, surtout dans les circonstances actuelles.

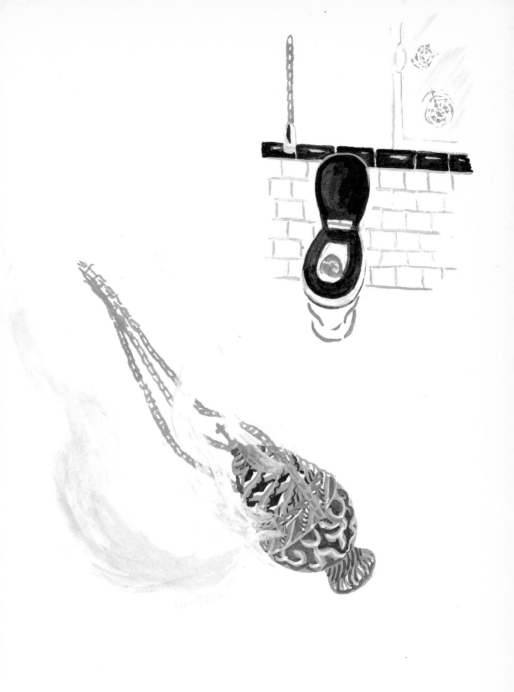

Et puis tous ces autres personnages qui habitent la maison en même temps que nous : la Vierge dans son alcôve, au fond de la chambre bleue, avec son attirail de chapelets, fleurs et chandelles, la petite sirène de Copenhague en bronze, trônant sur le radiateur de la salle à manger, Mitri et Michel, dans leurs cadres en argent, morts il y a si longtemps. Téta s'enferme encore deux fois par jour dans sa chambre pour prier *Maryam el-Adra*, la Vierge Marie, et pour penser à son mari Mitri et à son fils Michel. Elle est en deuil depuis quinze ans et porte encore à cette époque-là des robes toutes noires seulement agrémentées d'un foulard noir, blanc et gris, ou de cinq rangs de perles. Malgré son obstination à garder le noir, elle n'est ni lugubre ni mélancolique. C'est la personne la plus joyeuse du monde.

Et surtout, il y a Thérèse. Thérèse pèse 180 kilos. La légende familiale veut qu'elle, si mince et si jolie, ait grossi en une seule nuit, la nuit de la mort de mon oncle Michel.

On prétend qu'elle est la meilleure cuisinière de Beyrouth. Descendue de la montagne à quatorze ans, elle était entrée au service de Mme Eddé, la femme du président Émile Eddé, qui lui avait tout appris. Elle connaît tous les secrets de la gastronomie française, Émile Eddé ayant été président sous le mandat français. Le bœuf Strogonoff, le veau Marengo, le tournedos Rossini, le savarin Chantilly ou la tarte Pompadour n'ont aucun secret pour elle. C'est de là aussi qu'elle tient son nom, Thérèse, Mme Eddé rebaptisant tous ses domestiques aux noms arabes de noms de saints.

Avant, elle s'appelait Wadiha ou Salwa, je ne sais plus.

Thérèse connaît les dialogues de *Ben Hur* par cœur, car elle retourne chaque année le revoir au Rivoli durant la semaine sainte. Enfin, jusqu'en 1974...

Elle répète tout le temps que la France ne serait pas la France sans le mont Saint-Michel, je crois à cause de mon oncle Michel, qu'elle vénérait.

Elle prétend aussi avoir été, dans les années cinquante, au service de M. Smith, un banquier anglais qu'elle soupçonnait d'être un espion, *jesous*, et qu'elle espionnait soi-disant elle-même pour le compte de Camille Chamoun (qui n'en a jamais rien su), alors président de la République.

Camille Chamoun, dont elle était folle, comme toutes les femmes.

Lorsqu'il avait réchappé d'un attentat quelques années plus tôt, elle avait fait couler un cierge de sa taille (il était très grand !) pour remercier la Vierge, *Saydet Harissa*.

Les récits de Thérèse me comblent. Quand sa mémoire (ou son imagination) lui fait défaut pour se rappeler de nouvelles histoires, je lui fais répéter mes préférées, qu'elle m'a déjà racontées cent fois. Mais au bout de quelques mois elle va avoir de la concurrence, avec l'arrivée dans la maison de la première télévision en couleurs. Le grand bonheur !

Et puis c'est vers cette époque qu'avec ma mère, nous nous sommes mises
à aller voir Élie. Élie est handicapé. Il a ouvert une petite fabrique de chocolat
(dont sa mère et sa sœur sont les seules employées) dans un sous-sol
sous la ligne de démarcation ! Pour y accéder sans se prendre
une balle de franc-tireur, il faut passer, avec un guide fiable, par un dédale
de maisons, de garages, d'escaliers, de jardins, de caves désertes,
reliés par des pans de murs abattus, des parois éventrées,
des trous aménagés dans des cloisons, des couloirs de sacs de sable.

C'est dangereux, c'est l'aventure. C'est pour aider Élie dans sa petite entreprise et parce que son chocolat est si bon que ma mère (et Walid et moi) s'est mise à suivre ce trajet, au début seulement pour les œufs de Pâques, puis petit à petit à différentes occasions dans l'année. Sur le moment, ça me semblait tout à fait normal, d'aller acheter du chocolat sous la ligne de démarcation. Avec le recul, je pense que c'était de la folie, que le goût du risque et la recherche du frisson ne sont pas des ingrédients à négliger dans l'incroyable engouement des dames d'Achrafieh pour les chocolats fourrés aux dattes d'Élie. La guerre leur appartenait aussi, il fallait qu'elles trouvent un moyen d'aller au front, *aal jabha*.

L'église de la Santa est un des autres lieux dangereux que nous continuons à fréquenter. Uniquement le Jeudi saint, jour où le Christ a lavé les pieds de ses apôtres et où les prêtres des églises de Beyrouth lavent ceux de douze de leurs paroissiens. Ce jour-là, tout bon chrétien doit visiter sept églises pour y admirer les décorations du reposoir où le Saint Sacrement est exposé pour l'occasion. Téta étant une très bonne chrétienne, c'est ce que nous faisons, elle, Walid et moi, accompagnés par Bich. Avant d'en arriver à la Santa, nous nous rendons, pour commencer notre tournée, à l'église Saint-Antoine-des-Grecs-Catholiques, *Mar Mtanios el-kouatlé*. C'est l'église qu'avait fait construire mon grand-père. Là, Téta est accueillie comme une reine par Abouna Kebbé. Ensuite nous allons à Saint-Antoine-des-Maronites, *Mar Mtanios el-mouarné*, à *Mar Mitr* (grec orthodoxe), à *Saydet el-Bechara*, Notre-Dame-de-l'Annonciation, rue du Liban, puis à *Kniset el-Mkhaless*, l'église du Saint-Sauveur (la préférée de Walid car un grand voile noir tendu sur la façade y représente les outils qui ont torturé le Christ).
Nous poursuivons notre tour par Notre-Dame-des-Dons, *Saydet el-Ataya*, et Saint-Antoine-le-Grand, des moines maronites, *Mar Mtanios el-kbir*, à Abdelwahab el-Inglisi, en face du siège du PNL. Walid râle, moi j'aurais voulu visiter plutôt vingt églises ! L'odeur de l'encens, la décoration des iconostases, les bouquets de glaïeuls et d'arums, les beaux chants byzantins ou syriaques chantés en arabe par des voix nasillardes, les petites filles endimanchées, les vieilles voilées, les *kaaq* au *zaatar*, au thym, qu'on achète sur les parvis, les Vierges aux auréoles de néon et les lustres aux mille ampoules, tout cela me met en extase pour plusieurs jours.

La septième et dernière église est la Terra Santa.
Son entrée se trouve rue Gouraud, pas loin de la place des Martyrs. Elle est
la cible d'un franc-tireur. Pour entrer dans l'église, il faut donc passer par la rue
du Liban, la rue perpendiculaire, et pénétrer par la sacristie, chemin utilisé
par les rares paroissiens à s'y rendre encore. « C'est plus prudent », dit seulement
Téta, qui aurait très logiquement du mal à expliquer que le Bon Dieu puisse
rappeler à lui quelqu'un qui vient de visiter six églises.

les anciens rideaux

Puis nous sommes retournés vivre dans notre appartement réparé.
Nouveaux papiers peints, nouveaux rideaux, il est beau et neuf.
Mais je déteste les nouveaux rideaux et je hais les nouveaux papiers peints.
J'en crèverais de pouvoir retrouver ceux d'« avant », ceux du temps où…
De toute façon, cela ne va pas durer. Dans les années à venir l'appartement
sera encore violemment touché. Ça arrivera plusieurs fois alors que nous
sommes réfugiés à Kattine. Mais à deux reprises il sera atteint de plein fouet
alors que nous nous trouvons à l'intérieur.

Ce n'est pas le énième sommet libano-syrien qui changera quelque chose à la folie meurtrière dans laquelle est désormais plongé le pays.

Ce n'est pas non plus le ballet des émissaires américains qui perturbera le bon déroulement de la guerre.

On apprend qu'ailleurs aussi, au Moyen-Orient, il se passe des choses graves.

Cette fameuse année 1979, les événements qui se déroulent à Téhéran retiennent notre souffle et celui du monde entier ; de nouveaux visages apparaissent, qui complètent le sinistre tableau.

De nouveaux monstres sont arrivés.

Et ce n'est certainement pas du côté d'Israël qu'il faut chercher les moins effrayants. Dans les années quatre-vingt, ils ne nous décevront pas, ils atteindront leur plein épanouissement.

La guerre se poursuit envers et contre tout, ou plutôt grâce aux efforts et à la bonne volonté de presque tous.

Les années quatre-vingt seront lugubres, funèbres, désespérantes.

الإمام الخميني
قائد الثورة الإسلامية

Dean Brown,
émissaire des Etats-Unis
au Liban de mars à mai 1976

Cyrus Vance,
de février à décembre 1977

Philip Habib,
à partir d'octobre 1979

Menahem Begin,
Premier ministre israélien

Yitzhak Shamir,
ministre israélien des Affaires étrangères

Ariel Sharon,
ministre israélien de la Défense

En plus de tout ce que nous avons déjà expérimenté (francs-tireurs, bombardements, enlèvements, massacres…), une pratique nouvelle va bientôt connaître un essor indiscutable : la voiture piégée.
Ali Hassan Salamé, le beau et jeune chef des services de renseignements de l'OLP, qu'Arafat considérait comme son fils, en sera l'une des premières victimes.
La décennie qui arrive sera l'âge d'or de la voiture piégée.

Depuis 1975, été comme hiver, quand Beyrouth s'embrase, nous profitons
d'un cessez-le-feu pour fuir et nous réfugier à Kattine, situé dans une des rares
régions encore à l'abri de la guerre.
Nous sommes souvent jusqu'à cinquante dans la maison, à plusieurs
par chambre, les matelas alignés sur le sol pour accueillir les parents et amis
qui n'ont pas la chance d'avoir une maison de famille dans une région protégée.
Seule Téta a sa chambre réservée, qu'elle partage avec la Vierge Marie, Mitri
et Michel, rapportés dans leurs cadres en argent.
Plus d'école, mais des jeux de société, des jeux de cartes,
le feu dans la cheminée, la chasse aux escargots
ou à la grenouille, le ramassage des œufs, les bombes de Bonjus,
colliers d'aiguilles de pin, toupies de glands, bulles de savon,
nouvelles lectures, balades à vélo, visites à la ferme…
Atmosphère de vacances dans un climat tragique.

Un grand tournant en haut du village offre
aux promeneurs qui vont là,
leur dîner terminé, une vue imprenable sur Beyrouth en feu.
Nous sommes à la fin des années soixante-dix,
la guerre dure depuis cinq ans déjà,
et nous ne savons pas que le pire est encore à venir,
pour les Libanais comme pour les Palestiniens.

Dans quelque temps, nous ne serons plus en sécurité nulle part, même pas dans notre paisible petit village de Kattine, longtemps épargné. Nous y passerons l'été 1990 entre quatre murs de sacs de sable dressés au milieu du grand salon du rez-de-chaussée. Le 11 août, onze obus tombent sur les terrasses, dans le jardin, sur le toit et sur les chambres de la face sud. Ce sont de gros calibres.
Nous les retrouvons le lendemain, quand nous sortons pour constater les dégâts. Mais Walid et moi avons abandonné notre collection depuis longtemps…

C'est le jour de mes vingt-deux ans.

1918 Chute de l'Empire ottoman. (Le Liban en faisait partie depuis 1516.)

1920-1943 Le Liban est sous mandat français et la Palestine sous mandat anglais, selon l'accord Sykes-Picot et la décision de la **SDN** (Société des Nations).

1920 Au Liban, le premier haut-commissaire, le général Gouraud, proclame la création de l'État du « Grand Liban ».
En Palestine, la déclaration Balfour (1917) promet au mouvement sioniste l'établissement d'un foyer national juif dans la région.

1943 Indépendance du Liban. Les troupes françaises évacuent en 1946. Le « pacte national », accord oral, institue un système politique confessionnel répartissant les pouvoirs entre maronites, sunnites, chiites, grecs orthodoxes, druzes et grecs catholiques.

1948 Fin du mandat britannique en Palestine. Proclamation de l'État d'Israël par David Ben Gourion.
Entrée en guerre immédiate de l'Égypte, de la Syrie, de la Jordanie, du Liban et de l'Irak.

1949 Fin de la première guerre israélo-arabe par la victoire d'Israël qui repousse ses frontières. 750 000 Palestiniens sont contraints à l'exil. La Cisjordanie est rattachée à la Jordanie et Gaza à l'Égypte.

1958 Création de la République arabe unie, fusion de l'Égypte nassérienne et de la Syrie. Insurrection à Beyrouth entre partisans et opposants à l'adhésion du Liban à la **RAU.**

1959 Yasser Arafat fonde le Fateh (mouvement de libération de la Palestine).

1964 Création de l'**OLP.**

1967 Guerre des Six Jours. Victoire d'Israël, qui prend le Sinaï, Gaza, la Cisjordanie et le Golan.

1968 En décembre, l'aviation israélienne détruit 13 avions d'Air Liban, sur le tarmac de l'aéroport de Beyrouth.

1969 Montée des tensions au Liban avec la guérilla palestinienne. Signature des accords du Caire, qui légalisent la présence et l'action de la résistance palestinienne contre Israël sur le sol libanais.

1970 « Septembre Noir » en Jordanie. Le roi Hussein y fait massacrer les Palestiniens par dizaines de milliers.
Yasser Arafat et les fidayins se replient au Liban.

1973 Affrontements violents entre l'armée libanaise et les organisations palestiniennes. Pour la première fois des camps palestiniens sont bombardés.

1975 Les chrétiens de droite, dont Pierre Gemayel, chef des Kataëb, et Camille Chamoun, chef du **PNL,** sont les principaux leaders, se sentent menacés par l'anarchie que fait règner dans le pays la résistance palestinienne.

13 avril 1975 Accrochage à Ain el-Remmaneh entre Kataëb et Palestiniens à la sortie d'une église. **LA GUERRE CIVILE ÉCLATE.**

18 septembre Premiers combats dans le centre-ville de Beyrouth. Les souks sont incendiés.
Les francs-tireurs terrorisent Beyrouth où se multiplient enlèvements et exécutions de civils sur base confessionnelle.

8 octobre Affrontements généralisés à Beyrouth. Bombardement d'Achrafieh.

25 octobre Kantari est mis à sac par la gauche. Nouveau front dans le quartier des grands hôtels.

6 décembre « Samedi noir ». Des dizaines de civils musulmans sont tués dans les quartiers chrétiens, suite à l'assassinat de quatre Kataëb à la hache.

8 décembre Violente offensive dans le quartier des grands hôtels. Le Saint-Georges tombe aux mains des Mourabitoun.

1976

18 janvier Massacre de la quarantaine (Karantina).

21 janvier Massacre de Damour.

janvier Apparition d'une ligne verte séparant Beyrouth en deux secteurs.

16 mars Les portes des prisons sont ouvertes devant les détenus.

22 mars Le Holiday Inn tombe aux mains des palestino-progressistes.

4 avril Joumblatt dénonce l'entrée illégale au Liban de soldats syriens sous couvert de la **Saïqa.**

8 avril Pillage des banques à Beyrouth. Pillage et incendie du port.

28 avril Sarkis annonce sa candidature à la présidence de la République contre celle de Raymond Eddé.

mai Sarkis élu sous une pluie d'obus.

mai Bombardements sauvages à Beyrouth. Edouard Saab, rédacteur en chef de *L'Orient-Le Jour* tué par un franc-tireur.

juin Fermeture de l'aéroport de Beyrouth. Plus d'eau ni d'électricité.

juin L'ambassadeur des États-Unis Francis Meloy, son conseiller économique et son chauffeur enlevés et assassinés à Beyrouth.

juin 10 000 obus en quatre jours sur Beyrouth privé d'eau et d'électricité. Il en tombera 3 000 le lendemain.

août Chute du camp palestinien de Tal el-Zaatar après 53 jours de siège.

septembre Sarkis prête serment au Park Hotel de Chtaura.

octobre Sommet du Caire.

novembre Entrée de 250 chars et 8 000 soldats syriens à Beyrouth. 250 chars et 3 000 soldats syriens entrent à Tripoli et à Saïda.

77

mars Kamal Joumblatt est assassiné dans le Chouf, à une centaine de mètres d'un barrage syrien.

novembre Anouar el-Sadate en visite historique en Israël.

78

février Accrochages entre soldats libanais et syriens. Bombardements syriens des quartiers chrétiens.

mars Plus de 25 000 Israéliens, soutenus par l'aviation, les blindés et l'artillerie,
occupent en moins de 24 heures un dixième du Liban.

juin Massacre d'Ehden. Tony Frangieh, sa femme, sa fille et ses hommes sont assassinés par un commando phalangiste.

juillet Début de la guerre des Cents Jours. L'artillerie syrienne bombardera les quartiers chrétiens pendant 3 mois. Déluge de feu sur Achrafieh. 130 obus sur l'Hôtel-Dieu. Incendie monstre au port.

septembre « Disparition » en Libye de l'imam Moussa el-Sadr.

septembre Signature des accords de Camp David entre l'Égypte et Israël.

septembre « Jeudi noir » à Achrafieh. Beyrouth-Est brûle. Des milliers d'obus s'abattent sur les quartiers chrétiens, notamment de la tour Rizk où est postée l'armée syrienne. Pénurie de vivres et de médicaments.

octobre Bombardements sans précédent d'Achrafieh. Les immeubles s'effondrent. La population restera plusieurs jours aux abris.

octobre Cessez-le-feu.

79

janvier Détournement d'un Boeing de la **MEA** par des miliciens chiites. Plusieurs détournements du genre auront lieu dans l'année.

janvier Ali Hassan Salamé, chef des services de renseignements palestiniens, tué dans un attentat à la voiture piégée à Beyrouth.

mai Combats entre milices arméniennes (Tachnag) et **Kataëb** à Nabaa et Bourj Hammoud.

mai Accrochages au mortier entre **Kataëb** et **PNL**.

juin Syriens et Israéliens s'affrontent dans le ciel de Damour : 4 Mig syriens abattus.

juillet L'aviation Israélienne bombarde Damour, Naamé et Sarafand.

août Violents affrontements entre les Forces libanaises et les Syriens. Obus sur Gemayzeh, Accaoui et Achrafieh.

août L'aviation israélienne bombarde le sud du Liban.

septembre Violents accrochages entre **Kataëb** et **Tachnag**.

septembre Duel syro-israélien dans le ciel libanais : 4 appareils syriens abattus.

novembre Combats à Chyah entre miliciens Amal et Syriens.

BEYROUTH 1975

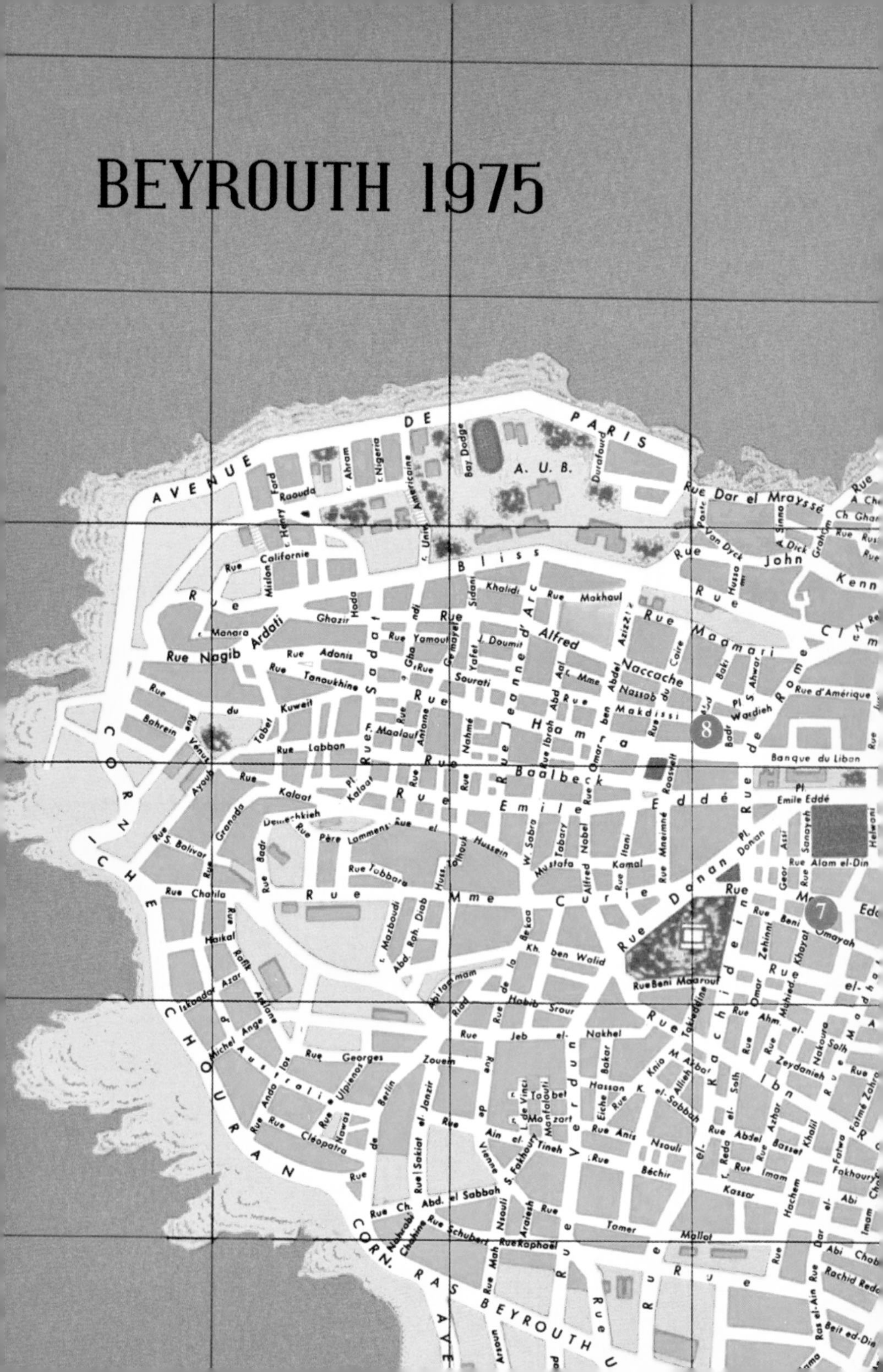

Collège Notre-Dame-de-Nazareth
Appartement de mes parents
Appartement de Jeddo Antoun
Téta Eva
Maison de téta Simone
Magasin de tissus de Jeddo
Bureau de mon père
Appartement de tante Marcelle
Hôtel Cavalier
Holiday Inn

10 Phoenicia
11 Saint Georges
12 Alcazar
13 British Bank of the Middle East
14 Pâtisserie suisse
15 Librairie Antoine
16 La Rose du Liban
17 Rivoli
18 Roxy
19 Radio City

20 Empire
21 Église de la Santa
22 Chocolatier Attié
23 Chocolat Élie
24 Spinney's

Merci

à Jacques Binsztok,

à Patrick Tanguy,

à Camille, Leyla, Walid, Youmna et Nayla Ziadé,
à Micheline Boulos, Walid Boutros, Frédérique Cadoret, Julien Carreyn, Mouna Copti,
Maher Daouk, Fouad el-Khoury, Michel el-Khoury, Alain Le Saux, Najat Mhaoune, Hugues Micol,
Georges-Emmanuel Morali, Paul Otchakovsky, Jawad Pakradouni, Christophe Prébois,
Zeina Tabet, Néda Takieddine, Emmanuelle Zanni, Joseph Ziadé.

et merci, pour leurs ouvrages, précieuse et rare source de documentation, à :

Joseph Chami et Gérard Castoriades, *Jours de misère 75-76*
Joseph Chami, *Jours de colère 77-82*
L'Orient-le-Jour, *La Guerre à la une*
Gabriele Basilico, *Beyrouth 1991* (2003)
Ghassan Tuéni, *El Bourj, place de la liberté et porte du Levant*
Samir Kassir, *Histoire de Beyrouth*
Maria Chakhtoura, *La Guerre des graffiti*
Francis Jalain et Gérard Boulad, *Lumières du Liban*
René Chamussy, *Chronique d'une guerre.*

et à Gabriele Basilico, Raymond Depardon, Fouad el-Khoury, René Burri, Joseph Koudelka et Robert Frank, qui ont
photographié le centre de Beyrouth juste à la fin de la guerre, en 91.

Ce livre a été publié avec le concours du Centre national du livre (CNL).